这是我的书
It's MY BOOK
7级：400字

自来水从哪里来

作者：秦志宁（Zhining Chin）
配图：秦志宁（Zhining Chin）

北京语言大学出版社
BEIJING LANGUAGE AND CULTURE UNIVERSITY PRESS

PHOENIX TREE
PHOENIX TREE PUBLISHING INC.

识读 总是 处理 提供
清洁 桶 公共

句型 如果……就……

字数 423字

xiàn zài jiā jiā dōu yǒu zì lái shuǐ suǒ
现在，家家都有自来水，所
yǐ yǒu rén yǐ wéi zhǐ yào yì dǎ kāi shuǐ lóng
以有人以为，只要一打开水龙
tóu shuǐ jiù huì huā huā de liú chu lai zhēn de
头，水就会哗哗地流出来。真的
shì zhè yàng ma ràng wǒ men kàn yi kàn zì lái shuǐ
是这样吗？让我们看一看自来水
shì zěn me lái de ba
是怎么来的吧。

yǐ qián méi yǒu zì lái shuǐ de shí hou rén men
以前没有自来水的时候，人们
zhǐ néng yòng hé shuǐ hé lí de yuǎn dà jiā zhǐ hǎo
只能用河水。河离得远，大家只好
yòng gè zhǒng fāng fǎ qù qǔ shuǐ tā men bǎ shuǐ zhuāng
用各种方法去取水。他们把水装
zài tǒng li yǒu de tiāo yǒu de bēi yǒu de yòng
在桶里，有的挑，有的背，有的用
mǎ chē lā yǒu de bǎ shuǐ fàng zài tóu dǐng shang yùn huí
马车拉，有的把水放在头顶上运回
jiā zài gǔ dài de luó mǎ rén men yòng shuǐ dào bǎ
家。在古代的罗马，人们用水道把
yuǎn chù de shuǐ yuán yǐn dào zì jǐ jū zhù de dì fang
远处的水源引到自己居住的地方。

méi yǒu hé de dì fang rén men zài dì shang

没有河的地方，人们在地上

dǎ jǐng hē dì xià shuǐ zhù zài shān shang de rén

打井，喝地下水。住在山上的人

huì jiē yǔ shuǐ huò zhě jiē shān shang liú xia lai de

会接雨水，或者接山上流下来的

quán shuǐ

泉水。

hòu lái kē xué jiā fā xiàn le dì qiú yǐn
后来，科学家发现了地球引
lì rén men cái zhī dào shuǐ zǒng shì cóng gāo chù zì
力，人们才知道水总是从高处自
dòng de liú dào dī chù de yuán lǐ yú shì kē xué
动地流到低处的原理。于是科学
jiā men jiù xiǎng rú guǒ bǎ shuǐ yǐn dào gāo chù nà
家们就想：如果把水引到高处，那
me shuǐ shì bu shì jiù huì zì dòng de liú dào dī chù
么水是不是就会自动地流到低处？

yùn yòng zhè yàng de kē xué yuán lǐ rén men
运用这样的科学原理，人们
fā míng le gāo gāo de shuǐ tǎ bǎ shuǐ yùn dào shuǐ
发明了高高的水塔。把水运到水
tǎ shàng miàn zài lì yòng shuǐ xiàng dī chù liú shí de
塔上面，再利用水向低处流时的
yā lì jiù bǎ shuǐ tōng guò shuǐ guǎn sòng dào le měi
压力，就把水通过水管送到了每
yì jiā
一家。

自来水生产流程图

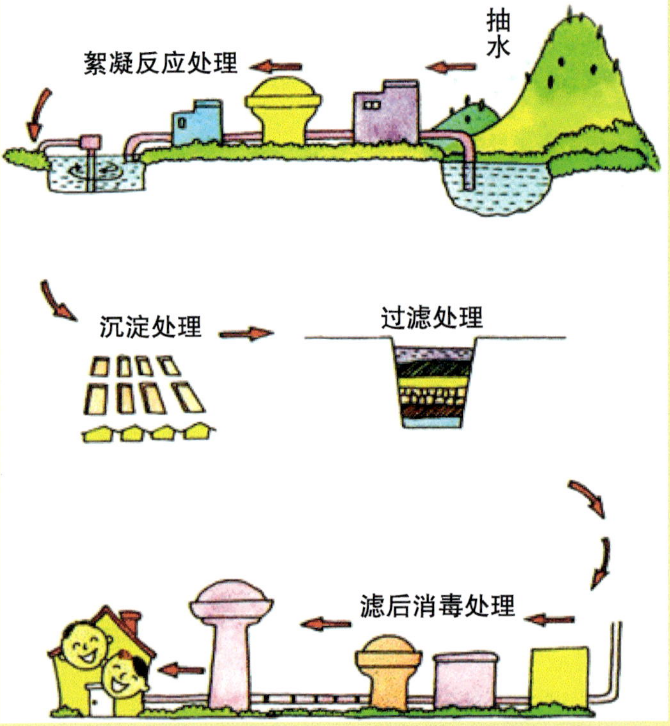

dào le xiàn dài rén men xiān bǎ shuǐ yǐn dào
到了现代，人们先把水引到
zì lái shuǐ chǎng zài nà li duì shuǐ jìn xíng
自来水厂，在那里对水进行
qīng jié chǔ lǐ zhè yàng shēng chǎn chu
清洁处理。这样生产出
de jiù shì gān jìng de kě yǐ zhí jiē
的就是干净的、可以直接
shǐ yòng de zì lái shuǐ
使用的自来水。

tōng guò dì dǐ xia de dà shuǐ guǎn gān jìng de
通过地底下的大水管，干净的
shuǐ bèi sòng dào gōng yè qū hé shēng huó qū zài tōng
水被送到工业区和生活区，再通
guò xiǎo shuǐ guǎn sòng dào gōng chǎng li xué xiào li hé
过小水管送到工厂里、学校里和
měi gè rén de jiā li zhè xiē dà dà xiǎo
每个人的家里。这些大大小
xiǎo de shuǐ guǎn zǔ chéng le yí gè gōng gòng
小的水管组成了一个公共
de gōng shuǐ xì tǒng wèi rén men yòng shuǐ
的供水系统，为人们用水
tí gōng le jí dà de fāng biàn
提供了极大的方便。

1 现在，家家都有自来水，所以有人以为，只要一打开水龙头，水就会哗哗地流出来。真的是这样吗？让我们看一看自来水是怎么来的吧。

2 以前没有自来水的时候，人们只能用河水。河离得远，大家只好用各种方法去取水。他们把水装在桶里，有的挑，有的背，有的用马车拉，有的把水放在头顶上运回家。在古代的罗马，人们用水道把远处的水源引到自己居住的地方。

3 没有河的地方，人们在地上打井，喝地下水。住在山上的人会接雨水，或者接山上流下来的泉水。

4 后来，科学家发现了地球引力，人们才知道水总是从高处自动地流到低处的原理。于是科学家们就想：如果把水引到高处，那么水是不是就会自动地流到低处？

5 运用这样的科学原理，人们发明了高高的水塔。把水运到水塔上面，再利用水向低处流时的压力，就把水通过水管送到了每一家。

6 到了现代，人们先把水引到自来水厂，在那里对水进行清洁处理。这样生产出的就是干净的、可以直接使用的自来水。

7 通过地底下的大水管，干净的水被送到工业区和生活区，再通过小水管送到工厂里、学校里和每个人的家里。这些大大小小的水管组成了一个公共的供水系统，为人们用水提供了极大的方便。

1

2

3

4

5

6
自来水生产流程图
抽水
絮凝反应处理
沉淀处理
过滤处理
滤后消毒处理

看图讲故事

7